S0-BZX-145

de la même auteure

André Breton, Hermétisme et poésie dans Arcane 17, Montréal, Presses de l'Université de Montréal, 1977.

D'elles, Montréal, Éditions de l'Hexagone, 1979.

Marguerite Duras à Montréal, textes réunis et présentés par Suzanne Lamy et André Roy, Montréal, Éditions Spirale, 1981, Paris, Éditions Spirale / Solin, 1984.

Féminité, subversion, écriture, textes réunis et présentés par Suzanne Lamy et Irène Pagès, Montréal, Éditions du Remue-Ménage, 1984.

Quand je lis je m'invente, Montréal, Éditions de l'Hexagone, 1984.

Suzanne Lamy

La convention

récit

vlb éditeur
le castor astral

VLB ÉDITEUR
4665, rue Berri
Montréal, Québec
H2J 2R6
Tél.: (514) 524.2019

LE CASTOR ASTRAL
52, rue des Grilles
93500 Pantin
France
Tél.: 840.1490

Maquette de la couverture:
Mario Leclerc

Illustrations de la couverture:
Patricia Lamy

Photo des pages 2 et 3:
Michel Saint-Jean

Photocomposition:
Atelier LHR

Distribution en librairies et dans les tabagies:
AGENCE DE DISTRIBUTION POPULAIRE
955, rue Amherst
Montréal, Qc
H2L 3K4
Tél. à Montréal: 523.1182
de l'extérieur: 1.800.361.4806

Données de catalogage avant publication (Canada)

Lamy, Suzanne, 1929-
La convention
2-89005-217-6
I. Titre.

PS8573.A49C66 1985 C843'.54 C85-094164-4
PS9573.A49C66 1985
PQ3919.2.L35C66 1985

Dépôt légal — 4e trimestre 1985
Bibliothèque nationale du Québec
ISBN pour VLB ÉDITEUR: 2-89005-217-6
ISBN pour LE CASTOR ASTRAL: 2-85920-104-1

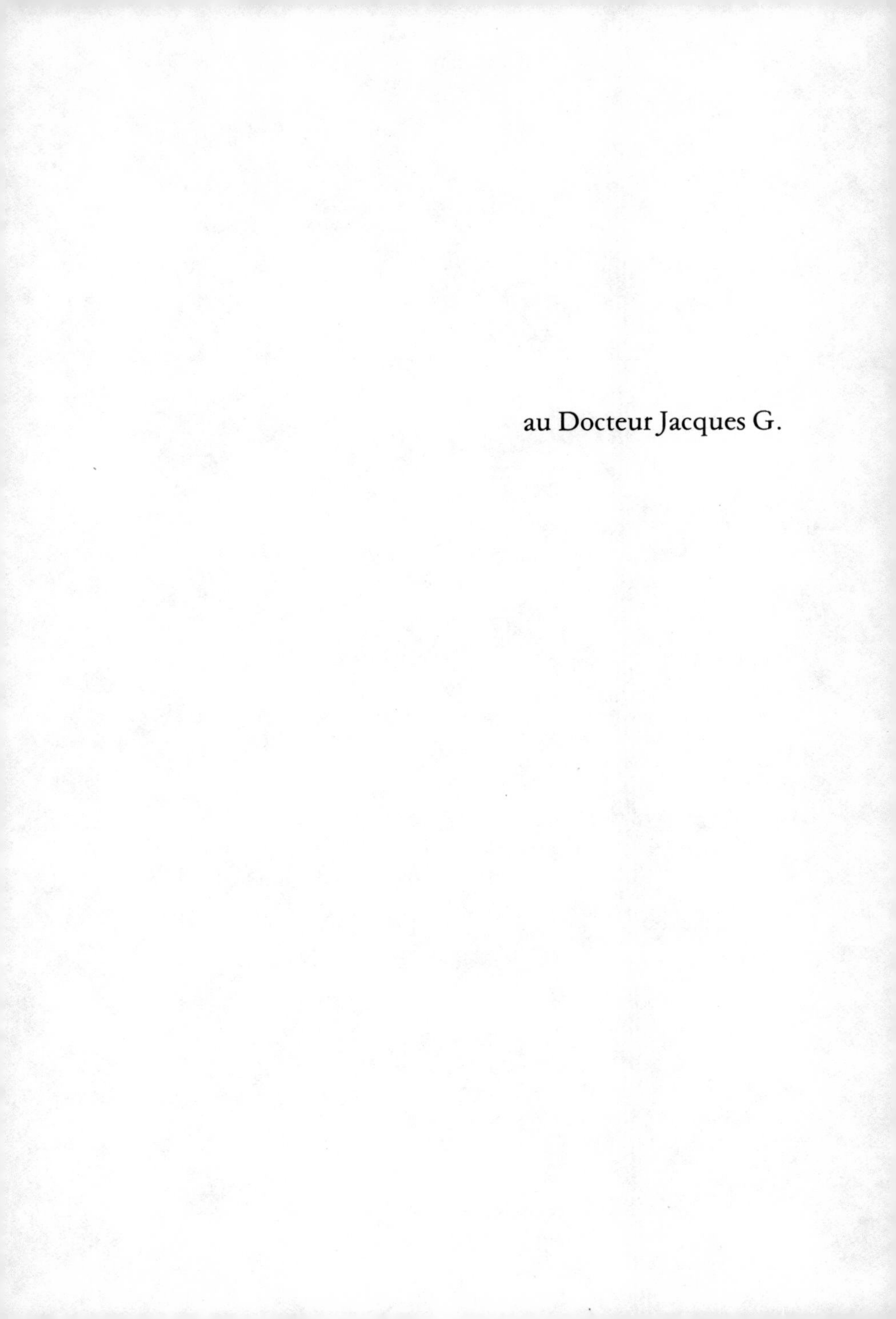

au Docteur Jacques G.

C'était l'automne. Un automne particulièrement doux. Doré.

Il y a quelques jours, j'ai retrouvé la date dans mon carnet de rendez-vous: 8 septembre, 10 heures: M. François Hains.

À côté, la lettre P, pour premier rendez-vous. Avant lui, après lui, des enfants: amygdales, végétations. Je ne me souviens pas. D'aucuns. J'en vois tellement.

De François Hains, je crois n'avoir rien oublié. Pourtant, quand ils sont entrés dans mon bureau, c'est elle que j'ai vue d'abord. Dans une robe blanche, très large, bien accrochée aux épaules. J'ai remarqué la coupe, l'aisance.

Il y avait plus.
Quelque chose qui ne tenait pas aux vêtements, ni à l'allure.

Ils m'ont paru beaux. Tous les deux. Dans mon bureau, j'éprouve rarement cette impression. Jamais pour ainsi dire.

Beaux. Est-ce bien le mot?
Non. Ce qui m'a sans doute frappé à ce moment-là, c'est la façon qu'ils avaient d'être ensemble.

Oui, c'est plutôt ça: ils faisaient couple.

Des couples, j'en vois peu. Des parents, oui. Des maris accompagnés de leurs femmes. Des femmes flanquées de leurs maris. Ici, dans ce bureau, et plus encore une fois qu'ils sont hospitalisés, ils ont toujours l'air dépareillés.

La première fois qu'ils viennent chez moi — comme chez tout spécialiste, je suppose — ils sont plus ou moins intimidés. Ils parlent de leur maladie, s'embrouillent, font des coq-à-l'âne. On dirait qu'ils craignent de me faire perdre mon temps. J'écoute sans écouter. J'attends que la gêne tombe.
Il y en a même qui demandent s'ils doivent se déshabiller tout de suite... ils oublient qu'ils sont chez un oto-rhino.

Avec les Hains, ça ne s'est pas passé comme ça. D'elle, ce jour-là, je ne crois pas avoir entendu un seul mot. Elle était tournée vers lui, de trois quarts.
Un homme robuste.

Quarante, quarante-cinq ans peut-être. De la finesse dans le corps, dans l'expression.

Ce n'est pas moi qu'elle regardait.

Lui, il s'est mis à parler. De son mal de gorge. Calmement. Sans bavure. Presque en professeur.

Elle ne bougeait pas.

J'ai dû poser les questions d'usage: depuis combien de temps souffrait-il, comment le mal avait-il commencé, comment s'était-il installé, progressivement, brutalement, à partir de quel moment la douleur avait-elle augmenté?...
Un mal banal en apparence.
Il décrivait.
Sans émotion, comme s'il n'y allait que de la nécessité de m'informer, non de sa santé, de sa crainte. En principe, on ne vient quand même pas chez moi pour un quelconque mal de gorge.

Pour qu'ils soient là, tous les deux, il avait fallu une certaine dose d'inquiétude. Chez l'un. Chez l'autre. Chez les deux à la fois peut-être. Qui en avait parlé le premier? Qui avait communiqué à l'autre le besoin d'en savoir un peu plus?

Ils étaient là. Nets. Raffinés. Sans rien laisser voir de leur anxiété. S'il y en avait.

Un mal de gorge pas très aigu. Tenace tout de même.

À un moment, ça a claqué. Fort, très fort dans ma tête.
Ce mal que l'on redoute — dans l'oreille — cette cloche d'alarme, c'est lui qui l'a nommée.
À sa façon. Concise.
C'est chaque fois pareil: ce tocsin que je crains, quand je l'entends, je sursaute. Intérieurement, bien sûr.

Lui, il ne pouvait pas savoir. Il a continué à parler, lentement, s'excusant presque de la minutie de sa description.
J'opinais du bonnet, comme si c'était cela, précisément, que j'attendais.
Ne pas l'interrompre. Profiter d'un silence, glisser quelques questions, du même ton, de la même distance.
Il a dû continuer, cinq ou six minutes.

On est passé dans la salle d'examen. À ce stade, je n'étais pas sûr. Mais tout de même.
Sans doute me suis-je fait un peu plus volubile. J'ai dû parler d'investigation plus poussée, d'examens à prévoir sans délai, du prochain rendez-vous.

J'ai retrouvé la date dans mon carnet: 15 septembre.

Au moment où je lui ai serré la main, m'a-t-elle dit au revoir? Il m'a semblé que son regard fouillait mes yeux,

qu'elle esquissait un mouvement des lèvres. Pas large. Ce n'est pas ce jour-là que j'ai vu ses dents carrées, ses dents qui donnent envie d'y mordre. Ses yeux demandaient, s'enfonçaient.
Je n'ai pas bronché. L'habitude.

8 septembre, le moment où cette histoire a véritablement commencé.
Pour lui.
Pour elle.
Pour moi aussi.
Comment aurions-nous su? Qui de nous aurait pu se douter?

En fait, leur inquiétude remontait à plusieurs semaines. Je l'ai appris par ce cahier qu'elle m'a laissé. Plus tard. Bien plus tard.

Ce cahier, j'aime le savoir là, dans le dernier tiroir de mon bureau, caché sous une pile de dossiers. Je n'ai qu'à passer la main pour sentir sa couverture veloutée. J'y reviens, à intervalles irréguliers. Toujours en fin de journée, les consultations terminées. Par quel drôle de besoin: je l'ouvre au hasard, le plus souvent n'en lis que quelques lignes, d'autres fois plusieurs pages. Les dernières, ce qui est resté du poids de ces jours, de leur lenteur violente, je les sais à peu près par cœur. Il m'arrive de prendre deux ou trois phrases, de les garder en moi; je les tourne, les retourne, les suçote comme un bonbon qu'on fait glisser d'un côté à l'autre de la bouche; ça dure le temps que je mets pour rentrer à la maison, dans cet espace où enfin je peux être vacant, livré au rythme de la ville.

Un an aujourd'hui que ça s'est passé. La date, elle s'est inscrite en moi tout naturellement. Je m'en veux de me laisser prendre à l'effet d'un chiffre, d'un mois. C'est un peu infantile. Pourquoi, tout à coup, une date dispose-t-elle de ma volonté, bloque-t-elle le glissement du temps? Je comprends mal. Hier, demain, rien de différent. Pourtant, une évidence: premier septembre 1983, je m'en souviendrai longtemps. Année après année? Sans doute pas. L'empreinte s'effacera, la date aussi sans doute. À moins que ce ne soit la date qui emporte la trace. Comment savoir? Cette mémoire-là, elle vit en parasite, mais à l'écart. Impossible de lui mettre la main dessus. Elle n'en fait qu'à sa tête.

De là peut-être les plongées dans ce cahier. Tout figé qu'il soit, quelle aventure il m'a été, si dense, si pressante... De lui, les blancs, la voix minimale, véhémente aussi, le corps des mots, tout m'a provoqué, me parle, me remue. Ne serait-ce que cette date de vacances tirant à leur fin: 20 août 1982.

Pourquoi, entre la date et les premières lignes, a-t-elle laissé un espace aussi grand? Cela m'étonne. Comme son écriture. Bien au-delà des mots, la fermeté des lettres,

l'arrondi de certains jambages, les creux qui nettement dominent.
L'inimitable de chaque écriture.
Mais la sienne: ce tracé sur la page, aujourd'hui, les pleins de sa main sur mon corps.

20 août 1982, La Cerna

J'ai une bête à mes tempes. Elle ne me lâche pas. Comment la tenir à distance? Je ne sais plus à quel moment l'inquiétude a commencé à filtrer, s'est coulée en moi, maintenant cramponnée. Je le sens: un ténia qui ne décrochera pas.

Ce cahier, acheté pour y prendre des notes, consigner quelques sujets d'articles, de quelle matière va-t-il devenir le support?

J'ai mal de notre arrivée ici, de cette maison, de l'odeur des pins, de leur fausse régularité, par là même apaisante. De la langueur des premiers jours. Ce sable, cette mer, ces rouleaux dont tout de suite tu m'as dit qu'il fallait se méfier, qu'ils ne pardonnaient pas. Tu as parlé de prudence et je me suis moquée de toi:

— As-tu déjà vu un fétu sombrer? Comment le pourrait-il?
— Ne joue pas avec cette mer: elle est aussi belle qu'intraitable.

Sur la terrasse, nous avons bavardé. En buvant. Le vin rosé était léger, bien frais, et sans doute un peu traître. Nous avons été vite d'accord: c'est le vin qui conviendrait, nous n'en aurions pas d'autre.

L'accompagnement de la mer sans noyau ni origine, les vagues qui naissent d'elles-mêmes, ton rappel du danger, tout me concernait. Huit ans que nous étions ensemble, mais seuls, pour la première fois — sans tes enfants, toujours là pour brouiller — nous entrions presque souverains dans l'iris des vacances.

J'ai voulu aller sans tarder à quelques kilomètres, à la plage dont tu m'avais parlé. Là, as-tu dit, nous pourrions nous isoler.

Tes souvenirs étaient justes: la plage superbe, si longue, beaucoup trop dangereuse pour être fréquentée. Nous n'y avons trouvé que des bouquets de genêts et des îlots de nudistes discrets.

La lumière et l'odeur.
Et moi, étendue là comme une bienheureuse, jusqu'à ce que la chaleur devenue insupportable m'étourdisse.

Toi aussi, tu paraissais heureux. D'être là. De moi. De la torpeur qui nous gagnait.

Au restaurant où nous nous sommes arrêtés au retour, je n'ai pu que grignoter, soûlée de la violence des vagues et du premier soleil. De la splendeur du plein été.
La fraîcheur de la maison n'en a été que plus délicieuse, nous nous sommes déshabillés en marchant vers la chambre.
Tu m'as caressée
en tous sens, dans un tango sans fin
ta main se faisant lente, rusée
pour que j'en sois enfiévrée, en vienne exaspérée,
que j'en râle, t'en supplie,
qu'à tes doigts écartant mes lèvres gonflées et presque douloureuses, je sois prise de spasmes.

Ce désir qu'après des années de vie commune tu as gardé de moi m'étonne et m'attendrit: il fait de toi un poète intermittent, inventif lyrique aux seules heures de l'amour.

Le sang me bat, dans la chair d'avocat, trépidante, à l'amande durcie pour feuilles gigantesques. Tendue, aiguisée, je guette, j'anticipe. Que ta bouche en mûres et en flammes m'envoie au rouge blanc du zénith.

. . . .

Ce début des vacances, je le tiens enserré, comme un sachet de thym ou de lavande, j'y enfonce le nez, pour ce semblant de brise, pour les nuits pas trop chaudes, les pinèdes sans fin en arrière des dunes, le seul bruit des insectes, des aiguilles mi-brunes mi-vertes qui glissent sous les pieds.

Au premier soir, je te rassure:
— Ce pays, pour moi sans mémoire, je vais beaucoup l'aimer.
Non, cette fois, les vacances ne seront pas ratées: il n'y aura pas d'histoires.

Il est vrai, les premières semaines, il ne s'est à peu près rien passé. Dans l'air sec, la profusion des corps, minces, cuivrés, si peu coupés de couleurs claires, le goût à traîner, sur le port, au marché, pour quatre pêches ici, trois poires là, les muscats bien dodus, pour finir près de la jetée, toujours chez la même marchande, sanglée fort de satinette noire, des poignets jusqu'à mi-jambes.

Ce mal de gorge, tu devrais en être débarrassé. On a tout invoqué: le besoin de vacances, la fatigue accumulée, l'irritation par le tabac, même si tu ne fumes qu'incidemment de petits cigares. On a pensé à un refroidissement par les baignades prolongées. Tu as changé de gargarismes. Le pharmacien t'a conseillé de voir un médecin. Tu gardes de plus en plus souvent une pastille dans la bouche et, bien sûr, tu avales le lot de médecines prescrites. Jour après jour. En pure perte.

C'est là qu'au grand soleil il y a eu de l'ombre. On n'en a rien dit. Ni l'un ni l'autre. On boit plus vite, plus sec. La sieste se prolonge. Au réveil, chaque jour, un peu plus assommés.

Nous faisons l'amour au crissement des cigales, dans la moiteur. Avec la même attention, la même attente. Seulement, par moments, tes yeux restent fermés. Ta parole devenue rare tient en monosyllabes. On dirait pour toi-même. Comme si tes mains m'étreignaient de plus loin que de toi.

La ville nous retient, nous allons chaque soir d'un cinéma à l'autre, même si nous savons qu'ils ne promettent que films d'aventures ou d'un comique présumé hilarant. Habitués du Grand Café sur la Place, nous échangeons des bouts de phrases avec les garçons dont le service alterne. De ces riens, nous faisons des sujets de conversation, repris jour après jour: verrons-nous le blafard à l'œil glauque pester contre les jeunes qui encombrent le trottoir, empêchent les clients bonne bourse bon genre d'atteindre la terrasse? Ou bien tomberons-nous sur le rougeaud mal dégrossi qui n'en est pas encore revenu de tous ces citadins en manque de peau brune? Lui, il nous l'a dit, c'est l'ombre qu'il cherchait dans ses landes natales.

29, le jour pointe

Tu dors, paisible encore. Pour combien de temps? J'ai marché dans l'allée, tourné, tourné autour de la maison, pour retrouver mon souffle. Le cancrelat de l'un, le cafard coincé de l'autre me viennent en mémoire, me disent que nous sommes la banalité même, que nous non plus sans doute, nous ne parviendrons pas à repousser le crabe.
Il en sera de nous comme pour tant d'autres. Il faudrait être humble et se le rappeler. Mais notre histoire, d'un coup, est devenue de plomb: elle sent le sarcophage.

Hier soir, tu mangeais difficilement. J'ai fait mine de ne pas voir. Ou j'espérais encore me tromper. Jusqu'au moment où tu as déposé lentement ton couvert. De l'égarement est passé dans tes yeux. Tu as constaté: j'ai de plus en plus de mal à avaler.

Un mur avait été franchi. Dans l'immobilité. La contention.

1er septembre

La peur avait gagné. À quatre heures de l'après-midi le lendemain, nous fermions la maison. Au détour du chemin, j'ai entrevu le soleil et la mer confondus dans les larmes que je retenais mal. Nous prenions la route de la ville vers le spécialiste détenteur de savoir.

Le silence aussi avait gagné, sur ces affamés de langage que nous avions été. Nous qui avions vécu comme si ce qui n'avait pas tourné en parole ne pouvait tout à fait exister. Buveurs d'écritures et d'images.

Aujourd'hui les mots ne passent plus. Ma gorge est serrée du mal qui a noué la tienne.

Je voudrais une ombre, un continent où refaire mes forces. Quelque part, il pouvait, il devait exister une profondeur nourricière. Non. Le vide, l'horizontalité du monde et de nos vies. Ce papier que je parcours de signes. Pour museler l'angoisse. Qu'au moins elle n'ajoute pas à la tienne.

Hier soir, une éclaircie, mon genou glissé entre tes jambes, tu souriais. J'ai demandé à quoi:
— Aux premières fois.
— Ce ratage t'amuse. Il m'a toujours gênée.
— Pourquoi? Nous étions aussi intimidés l'un que l'autre. Et notre hâte à en finir? Nous ne pouvions être de ceux qui couchent en silence ou en balbutiements. Il y avait déjà une belle entente. Il aurait été dommage qu'elle en craque. Cette peur, aujourd'hui je peux bien te le dire, je ne l'ai connue que de toi.
— Je me découvrais, m'inventais, les choses dévalaient d'elles-mêmes, malgré moi; dans le même temps, de toi, j'aurais voulu tout savoir, sans le demander, empêtrée que j'étais d'un désir si gauche. Obscur. Il débordait loin celui du corps.

Mes lèvres sur ta peau, ta main dans la dérive de mes reins, nous nous moquons de mon application:
— J'aurais voulu, tant voulu, par je ne sais quelle grâce, être d'emblée au creux de toi, du plus secret. Bien sûr, je me le figurais en sommet à atteindre.
— Mentalité de bonne élève!

L'assoupissement te gagne, je me souviens comment, dans l'abandon confiant où je me déplissais, j'avais mis à nu quelqu'un, moi, jusque-là, ignorée. Je me déliais, de l'enfance volée, de l'ampleur du dédain qui m'avait faite chagrine, renfrognée. Mon audace m'effarouchait, d'autant plus que tu n'avais pas cessé de m'intimider. Aujourd'hui, encore. Cela, je ne te l'ai jamais dit.

Nous cherchons un refuge dans ce qui a été. Comme si l'on pouvait contenir le courant d'une rivière sans voir aussitôt l'eau stagnante, sa pourriture.

La course aux médecins a commencé. Nous en verrons plusieurs, pour vérifier les pistes.

Le 8, premier rendez-vous, avec le Docteur F. Ta voix perd ses modulations, ses éclats. Souvent blanche et par instants, fêlée.

Dans la fin du jour, nous rentrons, en animaux frileux. Craignons la lumière. Dehors le bruit des voitures, de ceux qui ont quelque part où aller.

À un moment, tu dis que nous pourrions prendre du thé, pour s'accrocher aux riens, furtifs et mous.

Rendez-vous avec le Docteur F. J'attends cela comme un verdict.

Le 16 au soir

Diagnostic confirmé. Tous les signes sont là. La plus mauvaise, la plus insidieuse forme de carcinome.

Au demi-ton de ta voix en-dessous de la normale dont tu as posé quelques questions, j'ai su que tu étais atterré. Tu t'étais dit prêt à entendre le pire. Mais comment imaginer ce qu'il advient d'un larynx amputé, d'une parole qui n'en est plus une?

Le docteur a mimé le patient sans cordes vocales. Il a produit une série de borborygmes, de bruits, celui strident de la craie sur les tableaux noirs d'autrefois qui nous coulait la glace dans le dos.

À ces imitations, tu n'as pas sourcillé.

Il faudrait opérer, tenter de sauver ce qui vaut pour une chance de vie ou de sursis. Prévoir aussi le risque d'aphasie.

Tu te lèves, dis que tu donneras des nouvelles. Je te vois, un visage d'ailleurs, de sphinx que je ne connais pas.

Le docteur est-il surpris? De ses yeux, il ne découvre rien, il semble chercher les nôtres. Il dit que c'est à toi qu'il appartient de décider, qu'il aimerait être tenu au courant, qu'il est à ta disposition.

Avec le point de non-retour, le vide et le trop-plein.

Comment s'est passée la soirée d'hier? Dans une poussée d'eau saumâtre qui ouvrait grand des sillons, du ventre jusqu'aux lèvres. Le demi-verre de cognac que tu m'as versé m'a plongée dans un magma sans nom. Tout broyé, compressé, happé, scié en carcasses comprimées par d'horribles machines, je n'ai pas vu ce qu'il advenait de toi.

Au réveil, un goût de suri, de crevé plein la bouche.

Où es-tu? Ta place près de moi est froide.
Un jour, ainsi.

Tu bois du café dans la cuisine. Comme tant de matins. Comme on en a joui, jour après jour, de cet arabica noir ultra fort émetteur de courants. Habitude perdue dans le rite.

Ce que je vois de ton hâle à travers la toison, de la souplesse de ta peau par la chemise entrouverte, me projette sur toi.
As-tu senti l'aimantation que mes nerfs faisaient subir aux tiens? Ce que j'allais hurler de l'injustice faite, de l'avenir désagrégé?

Une main sur mon poignet, l'autre sur la nuque — en ce point si sensible où les cheveux prennent racine et que tu connais bien — tu me contiens, me parlant du cours des choses, plus que difficiles.

Tu prends la chatte qui tourne autour de nous, tu la fais ronronner, niches sa buée rose dans le creux de mon cou. À ta tendresse généreuse, je me vois, comme souvent, un brin hypocrite, profiteuse.

À l'inflexion basse de ta voix, je comprends que tu tentes de garder ta maladie dans l'ordre du tolérable.

Pour moi? Pour tes propres yeux? Sans doute pour les deux.

Ta maladie fait de nous les rives disjointes d'un cours d'eau qui déjà menace de tarir.

Les mots, surtout les sons éructés par le docteur m'ont transie. Mais toi bien davantage.

Qu'en sera-t-il, qu'en serait-il de mon amour, de notre amour, avec, entre nous, cette mutilation?

Fragile, combien fragile.

Je te parle, je m'adresse à toi. Par habitude. Tu ne liras pas ce que j'écris. Sans que je sache pourquoi, l'idée que tu puisses prendre connaissance de ces lignes ne se supporte pas. J'y serais bien plus découverte que nue.

Pour qui ce «tu»? Pour la part de toi que j'ai fait mienne et que je porte en moi? Et ces lignes, pour qui?
Naïve, je ne le suis pourtant pas, moi qui vis de l'écriture dans les journaux et revues. Ici c'est d'autre chose qu'il s'agit, de la parole impropre à la lecture immédiate: elle frôle de trop près l'interdit. Pour être consommable, il faudrait qu'elle repose, refroidisse. Mais de répit, cette fois, il n'y aura pas.
Là-bas, je souris aux bonheurs d'écriture. Ici, l'indigence, le dénuement. J'imagine mal qu'un autre, qu'une autre, un jour, puisse me lire.
À moins que j'écrive à celle que je serai dans dix ou dans quinze ans. À peine perceptible, coupable, il y a, lové là quelque part, le désir de garder trace de ce moment névralgique qui me force, me transforme. Selon ta propre marche.

Déjà je ne suis plus la même: notre entente dans la légèreté appartient au passé. Quant à ce que j'étais avant de te connaître, impossible de renouer avec cet être-là: je m'y vois dans des limbes. Comment oublier que c'est par toi que se sont ajustées mes voiles pour le vent?

J'ai cru au déplacement de la peur, à la distanciation par les mots. Au blanc à combler, occupé, il n'y a pas si longtemps par nos parlottes contiguës, chevauchantes, l'engrenage, le frottement. Tu m'égrisais dans la douceur d'un vent d'été. Aujourd'hui les mots restent suspendus. Le fil à chaque instant menace de casser.

Il y avait tes yeux portés sur moi — maintenant retournés sur toi-même. Par désertion ou mimétisme, mon regard suit la même courbure.

Il a fallu apprendre. Aux plus durs, aux plus purs moments de l'angoisse, il n'est pas de parole qui tienne. Le noyau infrangible, il n'est que d'attendre qu'il veuille bien, de lui-même, se laisser ébranler. Qu'il ne soit plus ce caillou, ces pointes acérées qui déchirent les chairs, les mettent en charpie.

L'asphyxie parvient à lâcher prise, jusqu'à la prochaine montée. Tant chaque jour ou chaque nuit ne peut être vécue, comme si, chaque fois, c'était l'ultime.

14 octobre

Ce que nous devenons, ce vers quoi je glisse, je le suivrai. Pas à pas. Non sans honte. Pour ces mots, je me cache de toi. Ce que je crois être ma vérité dépend de cet inavouable.

De travail pour toi, il n'est plus question. Tu iras aider ceux qui se chargeront de ton projet en cours. Quant à moi, je travaillerai à mi-temps. Pour être disponible, parce qu'il est bon, paraît-il, que pour moi, quelque part, la vie aille son train.

Autour de nos mouvements ralentis, de nos pas de plus en plus feutrés, une vase tangible. Quand nous nous touchons, ce n'est pas la couleur qui a varié, mais la substance.

De retour à la maison, je te trouve dans le même fauteuil, tourné vers le petit soleil de septembre, les journaux épars sur le tapis. Tu n'ouvres plus de livres. Quant aux magazines et journaux, sans doute vois-tu les manchettes. En écoutant de la musique, presque toujours instrumentale. Cette exclusivité, nouvelle chez toi, me surprend.
Le corps de l'artiste, son souffle, parfois son doigté, un soir, tu m'as dit qu'ils t'étaient à la fois présence et absence. Tu as ajouté:
— Cette familiarité et cette distance, indissociables, il me semble que c'est toute la vie.
À la tombée du jour, je reconnais souvent la trompette de Maurice André, toi suspendu au risque de chaque note. Cette saison, pour moi, restera liée à ce qui bondit et cède par sa bouche.

Tu ne glanes plus les nouvelles, même parmi les plus mauvaises. Comment vont les choses, tu t'en désintéresses.
De plain-pied avec les peines des autres, ton mal en devient-il plus supportable? Plus dérisoire dans le désastre de tous, des plus démunis? De ceux qui n'auront à peu près rien connu de la saveur des jours. Le Salvador, le Liban, l'Afghanistan, l'Afrique du Sud, l'Éthiopie encore. Je ne crois pas que tu oublies, y compris les exécutions

expéditives de la Chine. Mais la détresse des uns, en quoi pourrait-elle alléger la tienne? Elle ne peut que l'encercler.

Triste, non pas aigri, tu assistes, on dirait, ton regard pâli en eau qui se retire.

7 novembre

Hier soir, tu m'as dit ton projet de t'éloigner quelque temps. Je n'ai pas réagi, mais que tu me quittes en ce moment s'enfonçait en épingles dans mon corps. Ce matin tu es parti. Pour ce village coincé dans une échancrure de montagnes sans douceur où ta grand-mère t'a laissé sa maison.

Je t'y vois, ta sale bête dans la gorge, et j'en étouffe à petit feu. Je t'imagine dans les herbes drues, dans la boue d'automne que tu enlèves sur les cailloux de l'entrée où cinq ou six générations des tiens ont râclé leurs souliers. De quoi te souvenir des temps où les plus rudes privations pouvaient tourner en jouissance: ils ne sont plus les nôtres.
Qu'es-tu allé chercher, toi si pauvre d'espérance, dans ce capharnaüm de séquelles et de silences? L'odeur du temps qui chancit et se referme?

Je rôde d'une pièce à l'autre. Ma colère, ma peine, comment les contenir? Ma rage de victime, de meurtrière? À quoi me calmer, à qui me rendre?

Dans la pénombre, le phosphore des yeux de Julie a fini par me tirer vers la boule chaude de ses poils, je la cale contre mon ventre, mes doigts dans la fourrure comme les pieds dans l'herbe. M'en endolorir, m'en border. Et défilent les traces communes, sur les murs, sur les meubles, partout à la fois, ta voix sur les cassettes que tu m'as envoyées quelquefois, tes lettres, la hâte que j'en avais qui me faisait déchirer les enveloppes de part en part.

Ma ration d'héritage, ce soir, je l'ai prise, un verre de gin-tonic dans une main, l'autre main dans les photos qui s'éparpillent, glissent les unes sur les autres. Celles qui m'ont brûlé les yeux: toi et moi ensemble à Montréal. Été 76. Un des moments bénis que la vie nous a distribués. Je n'ai été là qu'une semaine. Juste assez pour que ces jours gardent le large sourire d'une affiche. L'émotion de te retrouver au Québec après tant d'années te privait de paroles. Au souvenir des dix ans que tu y as passés, de six à dix-sept ans, oui, tu étais comblé. Pour des images de lacs entourés d'épinettes sombres — pour moi presque funèbres — pour des noms, Rivière-des-Mille-Îles, Anse bleue, Blanc-Sablon, Port-au-Persil, chaque fois, une bonde lâchait. Un bout de mélodie t'ouvrait, te retournait. Fabulation sans doute. Tu le savais. Qu'importe: elle opérait.

Tu allais à la rencontre de ces années, de ce que tu en avais fait, dans la coulée, le désordre des jours. La seule idée d'être à nouveau dans Montréal t'excitait. Moi, Montréal m'a plongée dans un bain de vapeur. Toi, aux aguets des changements survenus, des itinéraires du dedans et du dehors, la chaleur, tu ne la sentais pas. Tu questionnais, amorçais des dialogues à la moindre occasion, avec n'importe qui, les chauffeurs de taxi, pour quelques mots, pour le plaisir. Tu aurais voulu plus de croisements, souvent ça bifurquait. Sans compter les heures, tu retraçais. Partout tu m'as entraînée: rue Saint-Laurent, la très poisseuse, rue Sherbrooke, pour gens protégés et discrets, Côte-des-Neiges — j'ai tout de suite aimé ce pluriel de conte d'Andersen. Près de la maison où tu avais habité, avenue Hazelwood, nous avons longtemps traîné. Tu aurais voulu entrer. Tu n'as pas osé sonner, demander. Tu aurais voulu que quelqu'un sorte, tu aurais expliqué. Il n'y avait sans doute personne. Tu as photographié, sous tous les angles. Quel manège autour des sapins bleus, des fenêtres à petits carreaux, tout confort et quiétude, et chaleur garantie, paraît-il, dans le duvet de la neige!

La Montagne n'avait à peu près pas changé. Tu t'es égaré dans les sentiers, t'es retrouvé, ravi. Tout revenait: les jeux autour de ta grand-mère, plus tard, le goût des premiers rendez-vous, des baisers, des gestes farouches des filles derrière les buissons. Les écureuils. Jamais je n'en avais tant vu. Leur prunelle en alerte à chaque seconde anticipait leur fuite. Je t'ai dit quelque chose comme:

— Regarde leur mousse ambrée, à la queue, elle ouvre au moindre souffle.
— Comme la tienne à celui de mes lèvres, m'as-tu répondu en riant.
Je me souviens de ta comparaison. Doucement, fermement, tu m'as poussée contre un arbre, tu t'es collé à moi. Tu aurais voulu, tu voulais me pénétrer là, en plein jour. Tes yeux, ton visage tiré, ton sexe le voulaient, l'exigeaient. J'ai eu du mal à me dégager. Il y avait des gens autour, pas très loin. Tu as aperçu des jeunes couchés dans l'herbe. Tu as dit:
— Faisons comme eux.
J'en étais incapable. Tu m'as laissé aller. Dans tes yeux, un brin de rage qui a eu du mal à disparaître. Mon corps chantait, lustré par ton désir. À nouveau, les écureuils si brusques, si rapides. Les photos n'en diraient jamais rien, de leur insolence, du secret de leur agilité. J'avais du mal à les quitter. Tu as remarqué:
— Toi, les écureuils, vous êtes les mêmes. Ils jouent. Ils fuient. Tu es vivante. Constamment tu dévies.
En redescendant vers la ville par un sentier à pic, tu as ajouté:
— Ici, les enfants sont plus heureux qu'ailleurs.

Moi, toujours un peu perdue. Ne serait-ce que par l'accent des Québécois, dans cette ville de morceaux sans assemblage où les choses ne semblent ni fixes, ni finies. Les quartiers y sont à double face, diurne et nocturne. D'après toi, l'ensemble trouverait quelque unité dans l'engourdissement de la neige. Mais encore! L'affichage dans les deux langues rend compte de bien des équivoques et de tiraillements.

Chapardeur, voyeur, violeur, confus de ne pas être invisible, tu as pris une multitude de photos. Au centre-ville, superbe de miroirs dressés, à deux pas de maisons, de ruelles à demi délabrées, à l'affût de gamines dansant à la corde sur des trottoirs crasseux, partout, tu fixais, te racontais. Plus tard, le long de l'avenue du Parc, sereine, détendue. Si femelle le soir, quand on remonte de la ville, à croire qu'on va entrer, qu'on se perdra dans le coucher de soleil, dans sa rougeur violette.

Au milieu des photos, quatre lettres, les dernières que j'ai reçues de toi. Des voyages qui ont suivi, j'ai eu quelques cassettes, pour le quotidien, des téléphones, de rares cartes postales. Ces lettres, je les colle ici, je ne veux pas que tout s'évapore. Pas encore. Je ne suis pas prête.

Montréal, 15 juillet 76

Chère toi, ma sémillante, ma légère,

Ce matin tu m'es plus proche que tu ne l'as jamais été. Même si ton éloignement m'est lourd du désir que j'ai de toi, de tes caresses et de tes mots, des pulsations passant de l'un à l'autre, du bruit de grillon de ta gorge, de la foudre qui t'immobilise la première. Pour mieux me traverser. L'or noir d'avant l'étale.
Pas d'autre éternité.
Sans toi, la vie, la ville se sont embrumées. J'ai continué à suivre les vêtements et les allures, à écouter les langues et accents, selon les restaurants, les boutiques, à essayer de déchiffrer. Autant de livres qui auraient été posés là par hasard sur des rayons de bibliothèques. Il y aurait eu Kafka, Aragon, Butor sans aucun doute, Ducharme, Duras pour les rencontres — qui n'en sont pas — de passantes à l'air de s'être trompées d'étage. J'aurais aimé en parler avec toi, mon amour, de ces villes qui nous donnent des images ajustées au déjà-là de nos rêves, bien plus que des clefs pour des curiosités nouvelles. En fait, tu étais là, je te refais dans une totalité impossible en tête à tête où nos fluctuations nous guettent, lézardent chaque instant.
Je t'embrasse, fébrile, fixé par toi.

François

20 juillet, lac Mistassini

Chère douce-amère,

As-tu remarqué le lieu d'où je t'écris? D'une grève déserte sur une rive inhabitée d'un lac pareil aux autres, il y en a tant ici, mais leurs noms, ces noms indiens qui nous envoient au bout du monde, ce sont des lieux qui protestent, qui crient. Dommage que dans leurs syllabes passe l'odeur consumée de ceux qui n'ont pas eu de chance. Ici, je te réinvente. Cette après-midi plus que tout m'ébranle l'envie brunâtre en fin de courbe de tes reins, manquement à la symétrie, à la route unie de ton dos. Défaillance de naissance ou constat de l'irréversibilité du temps? Cette île imparfaite et par là émouvante, je l'aborde toujours avec délice. Elle n'appartient qu'à toi, elle absorbe l'absence. De toi à moi, ce jeu de brousse est si serré que ça crie fort à la jointure de ma mémoire et de mon corps. Du dîner où je t'ai rencontrée, te souviens-tu la première mesure? Secondes de chaux vive. Le fil tendu tiendra-t-il?
Tu prends congé pour l'été, tu pars, as-tu dit, pour la Crète. Ton visage s'est penché à peine vers le mien: le vol de l'encolure découvre la peau qui n'a pas encore vu le soleil. À la seconde j'ai tout mêlé: les oiseaux à la verveine autour des pierres de Sainte-Tite, aussitôt, le fourmillement de te suivre, dans tous mes membres.

J'étends ma main vers toi, bientôt tu vas frémir. Dans dix jours. Je te berce, gâtine des matins difficiles, t'embrasse à la soie des replis.

François

De retour à Montréal, 25 juillet 76

Quand je me suis éveillé, ton corps sous le mien tendu sous le ressac du souvenir, tu émergeais de la robe indienne que tu portais le jour de ton départ, les épaules, les seins, les hanches, et le chiffon vert maintenant entortillé autour de tes chevilles. À ton geste d'enjamber le fouillis de coton, à voir se dégager ton triangle sombre aux boucles relâchées, ma tête flotte autour de ta vallée.
— Vallée des Rois, demandais-tu, le sourcil levé, la bouche pulpeuse, aguicheuse, en te moquant de moi?

J'ai passé la soirée d'hier avec Martine jusque tard dans la nuit. Soria, te rappelles-tu sa spontanéité, aussi combien tu l'intimidais? Dans le café de la rue Saint-Denis où je l'ai retrouvée, près de son amie, dans sa ville et non plus en transit comme à Paris, elle était autre. Toujours le visage à moitié caché sous ses cheveux d'orange brûlée, et sa bou-

che, elle l'ouvrait sans façon, chaque fois qu'elle se faisait rire et ça n'arrêtait pas. Aucune importance, le café était bruyant et chacun défendait son bien sans s'occuper des autres, dans le bruit, les odeurs de bière et de vin. D'ailleurs son décolleté était d'une entière générosité pour tous, pour son amie qui la suivait des yeux, de ses doigts sur le châle à grandes fleurs toujours prêt à glisser.
Son amie, une chafouine celle-là, yeux bleus et petites mains agitées en avirons pressés.
Nous avons beaucoup bu, du vin très ordinaire. J'étais là et ailleurs, je reconnaissais l'accent, les expressions, je les retrouvais comme un vieux bruit de porte. Sa voix à peine éraillée, je l'avais oubliée, ou bien le temps avait fait son travail. Ce que Martine a pu raconter, pour son amie, pour moi, dans l'à peu près, je te le donne parce que c'est une partie de moi qu'elle seule pouvait réveiller, qui t'intéressera peut-être, toi, la fouineuse qui voudrais tout savoir:
— Regarde-le bien, François, c'est mon premier amour, il te le dira pas, parce qu'il est bien élevé. C'est pour ça que je l'ai tant aimé, que je lui écrivais des lettres sublimes qu'il a pas gardées parce qu'il croyait pas à mon talent, qu'il avait honte de mes fautes d'orthographe, grossières, disait la sœur qui m'avait enseigné, mais c'est avec moi qu'il riait le plus, hein, François? Pour lui aussi, c'était le premier amour, la première qu'il ramenait chez lui le samedi après-midi quand sa mère travaillait,

c'est à moi qu'il disait, secoué d'impatience, de peur: enlève vite ton chandail, ton pantalon. Il me prenait les seins, je lui disais: François, pas si fort, tu me fais mal, il entendait rien, on se dépêchait, il fallait faire attention, que son sirop tombe sur mon ventre et pas sur les draps, et bien jeter les kleenex qui avaient tout essuyé. Il me donnait même des conseils — mais oui, ma belle — tu devrais porter un soutien-gorge, c'est pas bon ce que tu fais, ma mère l'a encore dit à ma cousine que si elle continuait comme ça, bientôt, elle aurait les seins sur l'estomac, comme la reine d'Angleterre (tu les aurais entendue rire...)!

Elle m'a vite fait remarquer que ça les avait pas tellement abîmés. C'est vrai, dans ma famille, on ne faisait pas facilement confiance à la nature. Elle a quand même fini en disant que c'était bon de me voir là, moi et mon «air distingué»...

Tu vois, une bien vieille histoire qui me faisait des signes: tout s'évanouit, s'engloutit. Ces filles, leurs rires dans la nuit m'indiquaient la distance. L'impression de postface, de pièce rapportée.

François, en partance vers toi

22 juillet, lac Mistassini

Soria, ma très belle, ma consentante,

J'ai dormi, rêvé au soleil, tu bougeais, je reprenais souffle, corps et cœur fouettés pour la même cavale. J'avais six ans, dans le foin d'odeur, trébuchais sur chaque mamelon, courant après tous les papillons, les criquets de la prairie. Je me réveille, me dis qu'on n'aime jamais tout dans ceux qu'on aime, qu'il en faut de bien peu parfois pour que l'on aime. Tes lèvres s'étiraient, à pas lents se léchaient de salive. Les lignes du poignet, coupées par le chemisier de batiste que tu portais un soir de juin chez Mélissa, ta peau hâlée se prolongeant sous le tissu laiteux, mon ventre s'éveillait.
Maintenant, au bas de ton corps d'enjôleuse, la splendeur d'un paVot noir.
Dans quelques jours, je m'y presserai, t'y guetterai.

J'ai découvert un pays qui croit en son avenir. Comme je crois en notre amour. Conjonction si rare que je me voudrais superstitieux pour voir là un présage.
Je t'embrasse,

François

Rue de la Convention, le 10 octobre

Revoir Montréal, relire tes lettres m'a transie. Quel présage. Ta désillusion, l'amertume sur ce qu'il est advenu là-bas, sur ce tournant qu'ils n'ont pu ou su prendre. Là aussi la peur avait gagné. De façon telle que les conséquences en seraient inéluctables.
Toi, au partage des eaux, entre la vie qui s'emplit, se presse, et ce qui maintenant demeure, tourné vers l'atone. Notre dialogue interrompu, qu'ici, de moi vers toi, quelque chose subsiste. Non qu'importe ce que j'écris, mais que j'écrive. L'ordre relatif des mots m'aide à ne pas me perdre tout à fait, à croire qu'un pont, peut-être. J'y avance avec peine. Me continue. Dans le manque d'une part de moi-même, celle que tu avais fait sortir de sa gangue, polie. Tu m'entretenais — de bûches dans le feu.
Aujourd'hui, superflue.

13 octobre

De ce moment au téléphone, je voudrais tout garder. Le coup au corps au timbre de ta voix, le frayage, le tournis. La décharge s'atténue lentement — comme une note tenue au piano, je ne sais plus ce qui appartient à l'illusion ou au silence. L'assourdi du ton: la distance, ton mal, le poids de ce que tu tiens à dire?

Tout se confond, ne surnagent que des broutilles:
— Ici, j'ai mieux rassemblé mes énergies, pour savoir ce qui m'était le plus conforme. Conforme à qui? À quoi? À une impression, peut-être. Il n'y a pas de modèle. Seulement des copies de copies, à l'infini, depuis si longtemps, avec additions intermittentes d'encre pour redonner l'intensité. Mon amour, l'original — nous l'avons toujours su — a été depuis toujours porté disparu. Il est temps de nous en souvenir.

Terre à terre, je n'ai qu'une question en tête: te feras-tu ou non opérer?
Tu continues:
— Reste mon corps, ses pulsions, ses fièvres. Aujourd'hui, rendre des comptes. Soria, je ne suis plus que corps. Qui renâcle, se lamente, se cabre, se tord. Eu, j'ai été eu. Bien plus tôt que prévu. Des clichés, je sais, chacun, en pareil cas, se dit la même chose. Je vais essayer... sans rien d'héroïque... le consentement.

Un long, un immense trou.

J'arrive à poser la question.
Tu dis que ta décision est prise, que l'isolement, la solitude t'ont rendu à la mesure des choses. Dans quelques jours, bientôt, tu seras là.
J'ai demandé comment c'était là-bas, pour t'écouter encore, retarder le moment du déclic.

Tu m'as parlé, de la muraille des montagnes le soir, des dahlias roux devant la porte, la maison encombrée, la cheminée enveloppante — un gouffre à la rumeur de mer. Celle qui, il y a presque quarante ans, sous les pommiers, t'apprenait à défaire les réseaux des mots, des arbres et des fleurs.

Me revient ce soir l'attention que tu as toujours accordée aux petites choses, habituellement l'apanage des femmes — une tache de couleur, un tic dans la parole, les bizarreries de la chatte. Le poivron vert que tu as posé au matin de mon départ sur le rebord de la fenêtre. Tu me dis qu'il mesurera l'écoulement du mois que je vais passer près de ma mère. Tu le vois virer du vert lustré à l'incarnat flamboyant, au mordoré pâli, tourner au mauve noir. Tu suis les premières craquelures jusqu'à ce que la peau malade d'un lupus irréversible plisse, ratatine, fende autour de graines desséchées et jaunasses qui tombent une à une dans un mucus malodorant. Au téléphone, tu me donnes de ses nouvelles, régulièrement.

Avec légèreté, — réelle, apparente? — tu traites ce qui a, devrait avoir de l'importance. Les rapports que tu as avec les choses, on les dirait inversés. Comme si, d'instinct, tu avais toujours su que l'explicite, toujours faux, est vite intolérable.

Au téléphone, ta voix a encore baissé, pour nos orages magnifiques, après les temps d'hibernation dont l'un et l'autre étions bien incapables de dire à quoi ils étaient dus. Les retrouvailles n'en étaient que plus violentes, dans la fureur qui s'abattait, nous plaquait l'un sur l'autre en tornade. Et nous, pour finir, algues à moitié nouées, portées par le courant.

Tu as murmuré: nous être si souvent emmêlés...
Ce qui n'a d'acuité, de velours que de la connivence, des caresses sues, attendues, oui, c'était cela, la vie donnée, la vie reçue.

Ce soir, cet imparfait me brûle. Le vertige que j'ai ne ment pas, ni les nerfs crispés sur ta voix, ni l'envie qui fait la bouche sèche, les bras inutiles, sucée par l'odeur de l'amour, de nos résines claires, par la chevauchée qui rend aux premiers jours du monde.

Pourquoi ce hasard sur toi, pourquoi nous? Comment prendre la charge?

Nous sommes dans le lieu commun, aux yeux des autres. Jamais pour ceux qu'on aime.

De ton désespoir, tu me tiens à distance.
Je bute sur notre amour. Où il commence? Où il finit? Et s'il n'y avait eu que drogue, stupéfiant? De quoi être terrifiée, égarée. Cette complicité et ce désir fondus, tout de même, c'est bien ça qu'on appelle l'amour. Quand les choses viennent réfractées par l'autre. Sous cette lampe solaire, moi, je m'étais aimantée, agrégée.
Ce soir, couleuvre tuméfiée de rancœur, d'ecchymoses, je me traîne, me porte en terre.

Partout, ici, là, je te retrouve, dans l'odeur d'un foulard, dans les livres que j'ai lus par-dessus toi, les marges mouchetées de signes légers, cabalistiques — pourquoi ce trait, là justement, sous ce mot, et cette croix, si minuscule que peut-être, même en faisant un effort, elle restera sans équivalent? Tes gribouillages ont pu m'être filtres, écrans. Plus souvent, prismes, étincelles, invitations à te suivre, te rejoindre dans le treillis des mots aussi sûrement que dans les plis défaits de ton lit. Sur eux, je m'attarde, les reçois en effluves, en pointillés qui chatouillent. Rien ne m'est plus délectable à ce moment-là que tes mains sur ma peau, me décrivant alors que le livre me tient, m'accapare, où l'appel de ta main enfle et décuple celui des lignes... jusqu'à la seconde où, dans une rivalité serrée, il me force à lâcher la page, à me retourner vers l'imprévisible des courbes, de la rumeur des bouches et des sexes.

30 octobre

Quand tu es rentré, la lumière déclinait, il faisait tiède. Tu te diriges vers moi. Je te regarde venir. C'est moi qui photographie aujourd'hui: le chandail gris-vert, doux au teint et à tes yeux, tes cheveux ont allongé et les muscles du cou ont tendance à saillir.

Tu me tires à toi, tu dis mon nom de cette inflexion particulière que tu es seul à y mettre, le *r* amolli par les voyelles avoisinantes, de ta voix devenue rauque, si bien que je ne vois plus rien, dans la peur de ce que tu vas dire, quoi que tu dises.
Nos têtes dans nos quatre mains, accrochés l'un à l'autre:
— On va laisser faire le mal. Pas le courage de vivre mutilé. Sans voix ou avec celle d'un roquet. Demain je vois le Docteur F.

De ce retour, je ne devrais rien oublier. Du moins m'a-t-il semblé.
Ce que je note correspond mal à ce qui a été. Je déforme, je triche, même si je tente de transcrire au mieux, d'entrer ce moment dans la répétition, contre le temps. Une façon de l'inventer en croyant le revivre.

La vie, l'amour, tu ne les voulais que dans la fluidité, dans le coulant des jours. Privé de voix, il n'y aurait plus de liberté. Ni pour toi, ni pour moi. Pour personne alentour.

Le somnifère commence à agir. Je pleure doucement en léchant ta peau lisse à l'intérieur du bras. Tes doigts en étoile autour de mon sein gauche, tu te colles à moi et je calque ma respiration sur la tienne. Tu mâchonnes des mots. J'attrape des bouts de phrases:
— mon amour... tourner autour, toujours... non, je ne finirai rien... toi, jamais là tout à fait, prête à glisser... constamment... dans l'avant, l'après... le pain grillé de tes épaules, comment m'en séparer... pour qui... vers qui tu rouleras... je le sais, je le vois... vers des caresses neuves où je n'aurai aucune part... petite sœur aussi... incestueux... nous aussi, nous l'avons bien été, comme les autres...
Et mon nom, dans ton demi-sommeil, que tu bredouilles: Soria, Noria, Nora...

14 novembre, dans l'impossibilité de dormir, 4 heures

Chez le Docteur F., entre ta façon de dire, en termes compacts, qu'il n'y aurait pas d'opération, de ce ton convenu, soumis aux habitudes de dialogue entre patient et médecin, et ce qui était lourd d'horreur, d'épouvante, j'étais là et ailleurs, basculée dans la perte de sens, sans doute par l'excès.

Tu as demandé au docteur de dire exactement ce à quoi tu devais t'attendre. Tu as voulu qu'il te donne l'assurance que tu ne souffrirais pas inutilement. Tu es revenu sur son aptitude à assumer ce que tu attendais de lui, combien dorénavant vous étiez, l'un et l'autre, parties prenantes.

J'ai aimé sa mesure, cru en la qualité de son écoute. Il ne semble pas être homme à se dérober. Dans son regard, son attitude, passait un courant. De sympathie? Plutôt de solidarité. Un acquiescement par silences, gestes rares. La première fois, j'avais vu l'ameublement de qualité, conventionnel. Cette après-midi, un lieu fermé.

De plus en plus coupés de nos amis, du reste du monde, nous vivons en serre, contraints par la paroi qui nous isole, d'un verre translucide qui a changé tous les contours. J'avais cru en des racines, non, les repères ont disparu.

Il m'est souvent arrivé d'avoir à répondre à des questions contraignantes, comme à celles qu'il m'a posées ce jour-là. Celle-ci, parmi d'autres, que je n'ai jamais oubliée, d'une femme dans la cinquantaine, en phase presque terminale. Du ton le plus uni, elle m'avait demandé conseil — de ces traits, je me souviens mal, mais je l'entends encore:
— Nous sommes loin d'être riches. J'ai un garçon de quatorze ans qui n'a pas terminé ses études. C'est bientôt l'automne et si je dois passer l'hiver, j'aurai besoin d'un bon manteau. Avant de faire la dépense, je voudrais savoir si ça vaut la peine.
Ce couple, ils étaient dans la même réserve, féroce. Et moi, aussi démuni.
Ils n'écartaient pas l'horreur de la situation. Lui, il cherchait quelque chose, pour s'accrocher. Elle, d'une totale immobilité, cette fois, me fixait. Avec une intensité dans le regard qui me gênait. J'aurais voulu la repousser. Ce que j'y devinais, dans ses yeux très noirs, ce n'était pas tellement la détresse. Plutôt un vertige, une flamme... comment dire... aveugle, qui menaçait presque de m'atteindre.

Je la revois, le visage en retrait à cause du chapeau qui masquait le front, bordait la ligne des sourcils bien arqués. Bizarre que je me rappelle si bien, même les boucles d'oreilles, des coquilles dissymétriques qui cachaient, enveloppaient le lobe.

Entre eux, une sorte de ressemblance les rendait singuliers. On aurait cru que c'était moi, la bête traquée. Je voulais faire bonne figure — est-ce que cela existe une bonne figure pour des moments pareils?

J'ai donné des assurances. Pour un médecin, la non-intervention est difficile, pour certains soignants, impossible, elle va à l'encontre de tout ce que l'on a appris, de ce que l'on a tenté depuis des années, jour après jour, parfois heure après heure... étirer, faire durer.

J'ai parlé d'une visite au Professeur P. Pour vérifier, s'assurer encore de la présence de ce type de carcinome.
Je les ai raccompagnés à la porte du bureau, les ai regardés partir. Lui, c'était un homme déjà dépossédé, même si, pour le moment, il n'y paraissait guère. À la façon dont elle a passé son bras sous le sien, je crois avoir ressenti quelque chose, un pincement qui, c'est bizarre, aurait ressemblé à de l'envie. À moins que ce ne soit le mouvement moulant de l'épaule qui accompagnait celui du bras qui m'ait troublé. Ou cette intelligence entre eux qui ne se savait pas vue, presque épiée.

Je connaissais leurs noms, mais au-delà? Un homme, une femme dans les éclats de la mort et de l'amour. À la version sporadique qu'ils me donnaient, j'étais désormais suspendu.

4 décembre

De la visite au Professeur P., nous sommes sortis atterrés. Son insistance brutale pour te faire opérer a accusé notre détresse. Non seulement tu avais la plus vomie des maladies, celle qui recèle toutes les humiliations en puissance, mais en plus, dans l'étonnement du Professeur de ne pas t'en remettre à lui, il y avait la conviction à peine voilée qu'il te tenait pour un hurluberlu, un pauvre type.

Tes épaules s'étaient courbées. Je devinais celui qui a mal, qui ne pouvait hurler. Au plus vite, sortir.

Dehors, il pleuvait doucement, partout il faisait gris. Devant le premier café rencontré, tu as chuchoté: faisons escale.

Ma gorge était aride. Chacun des gestes du répertoire habituel — servir le thé, presser la tranche de citron — me semblait indécent.

Tu as dit que l'entracte tirait à sa fin, que bientôt l'obscurité se ferait — pour le dernier acte.

À la pensée que ces riens nous étaient comptés (s'asseoir dans un café, laisser filer les mots sur le film, l'exposition que l'on vient de voir, l'allure d'un passant...
— tiens, celui-là, pressé, tu ne trouves pas qu'il ressemble à Jean-Pierre, tu sais bien, quand il est intimidé, qu'il se voûte, se déploie, dans le genre soumis, vraiment, ce mouvement qu'il a alors de se tordre les doigts, de les replier, le petit bruit sec que cela fait, que c'est agaçant, ridicule!
— oui, mais il saisit ce que les autres ne voient pas...
Ce n'était pas d'en rire qui était bon, mais d'en rire avec toi. Être un peu méchant à deux, quel satin!), à tout ce qui ne peut rebondir que dans les cercles de l'intimité, des larmes m'ont prise de court.
Toi, un instant avant à bout de force, tu as quand même remarqué, un sourire à peine discernable dans la voix:
— Tu es barbouillée, tes larmes ont fait des traînées vertes, noires sur tes joues; à droite surtout, as-tu ajouté, en passant le bout de ton index le long du nez.
Cet amusement tout juste perceptible me rappelle «je ris en pleurs» d'Andromaque. Ce reflux de culture, à la minute même où je m'y attends le moins, qui se mêle,

impromptu, incongru, à ce qui m'empoigne, me broie, me laisse interdite, ahurie de ce travail de la mémoire.

Ces lignes, je ne les date pas. À quoi bon. Le temps n'est que prison, carcan qui se resserre.

J'ai affirmé que cela ne dérangeait pas, que de toute évidence, ta fille avait sa place près de toi. Comment faire autrement? D'abord, taire l'amas de chiendent qui ne demande qu'à sortir de ma bouche. Je l'ai coincé dur entre mes gencives.

Pour quelques semaines, quelques mois, qui sait? Valérie vivra avec nous, s'appropriera cette pièce où, en principe, je travaille. Ces notes, compromises, impossibles à maintenir. Soustraire ce cahier à sa curiosité. Avec ses quinze ans, je ne négocie pas. Attendre qu'elle soit partie pour revenir à ces traces, ce que tu laisses à travers moi.

Dans une absence de motif, si surprenant que cela me paraisse, dans des instants très brefs, pointe une luciole faiblotte. Fumerolle, flammèche? Je la crois faite d'une parcelle de curiosité, de l'évidence que malgré tout, la vie continuera. En quel état parviendrons-nous au terme? De ce nodule d'ardeur qui se rappelle à moi, qu'en sera-t-il? Non que de toi je ne reste à jamais orpheline. Tronqué, écimé, l'arbuste survivra. Différent sans doute, ramassé sur lui-même. Rien ne peut faire qu'à chaque printemps la sève n'envoie quelque poussée. La cruauté de cette idée, à vif, comme chaque fois que je parviens à repousser la complaisance.

Le travail demandait de tels efforts, je l'ai abandonné. Tout me forçait, m'exaspérait, dire «tu» à mes camarades comme à toi je le dis... qu'il n'existe pas d'autre mot pour marquer la différence. Autant accepter que rien ne puisse être transmis, que ce qui compte, les seules choses qui vaillent, soit extérieur aux mots. Pourtant, je veux vivre à la lettre ce qui nous emporte.

Jeudi saint

Ce soir quand je t'ai laissé, tu dormais dans ton lit d'hôpital. Ton sommeil m'a soulagée, de tous les gestes autour de l'acte qui d'heure en heure était devenu imminent: entrer en clinique.

T'y voilà. Livré au Docteur F. et à ses drogues.

Moi ici. Désertée.
Jamais plus.
Une litanie.
Jamais plus toi, ici, ta lenteur un rien appliquée, le rayon à peine ironique de ton œil, ton eau de toilette poivrée, elle me rassure des vibrations qui font les lèvres gourmandes, le ventre tiède.
Jamais plus... ton œil avivé, ta parole précipitée que j'ai du mal à suivre quand tu as hâte de dire ce que tu viens de

voir, de lire, l'idée à peine formée, juste là, pas nette du tout, mais avec moi... quelle importance qu'elle ne soit pas ronde, qu'elle bifurque, c'était bien cela, toi et moi, cette pâte que l'on étire, dans un sens, dans un autre, qui se rétracte, se prête à la brutalité, à la désinvolture, dans le délice de ce qui prend corps, forme...

Dans le coin du divan, ces derniers mois, ta querencia, d'où l'on voit les enfants jouer dans le parc, descendre le raidillon sur leurs planches, tu te perdais dans la vigueur de leurs mouvements, précis, inlassablement répétés, te repliais, finissais par somnoler, pesant, amaigri.

De mes journées à la clinique près de toi, pendant des heures si pareilles qu'elles couvrent un chemin très bref et très long qui n'est fait que d'abandons, je reviens momifiée. Chaque matin, je vais vers toi, décidée à te donner le meilleur de moi-même. Mais à noter la fatigue envahissante, les heures de torpeur de plus en plus longues, à comprendre combien n'importe laquelle des infirmières est plus apte à t'aider que moi-même, je suis refoulée, sans lieu. Fidèle à ce que j'ai été, à ce que tu as aimé, j'arrive léchée, moelleuse, de bijoux, de textures...

Je me regarde et j'entends: — Rien à faire, ça la constitue. Tout de même, ces futilités à des moments pareils, quel manque de discrétion, de goût, de mesure!

Pourtant, tu es mon obsession, mon idée fixe. Mais à suivre la silhouette que me renvoient les vitrines de la rue, il y a l'autre, celle qui éprouve la santé qui est la sienne, qu'elle incarne. À certaines minutes, cette santé, je le sais, te blesse, t'horrifie. Je me défais, me diffracte, de la fissure qui constamment s'agrandit, tend à occuper tout l'espace.

À l'acmé de la peine, à nouveau, je suis toute.

Dans la chambre, nous tournons autour de la douleur à atténuer, des soins qui pourraient adoucir. Je me tiens là, généralement inutile, occupée à mater l'émotion avant qu'elle ne me submerge en ta présence.

Chaque jour, j'échange quelques mots avec le Docteur F.

Entre vous, je le sens bien, le pacte s'affermit.

Écrire ici, est-ce que ce ne serait pas vivre un renversement, mettre au jour ce qui était enfoui, soutenait l'iceberg dont on ne voyait que les pics, et dans le même mouvement, renvoyer dans l'ombre ce qui était exposé, parfois aux quatre vents, ce qu'on pouvait en présumer par cette troisième personne que nous formions — comme tous les couples — et qui aurait fini par nous engloutir? Celle-là, la maladie l'a tuée.

Ce soir, je n'irai pas plus loin. Je supporte mal que se soit faufilée cette idée: que ces lignes aient germé d'une acceptation plus ou moins sournoise de ta disparition. Comme si je m'en nourrissais. Dans ces mots venus sans que je me sois méfiée, je ne peux qu'y reconnaître quelque chose. Dans le même temps, j'en suis humiliée — j'avais cru que l'amour était toute ma vie.

Ma main à portée de la sienne, je reste de longs moments dans une rêverie qui confine à la léthargie, dans l'écart que la maladie ne cesse d'agrandir, en attente de menues demandes — je ne suis plus alors tout à fait accessoire — prête à répondre, serrer, amortir. Comme l'autre après-midi où j'ai fait passer ma main sous le drap pour lui venir en aide. Ce que j'ai fait dans une totale tristesse. Misérable, affolée à la pensée qu'une infirmière, un médecin puissent entrer à l'improviste. Je n'ai pas eu le cœur de le décevoir. À sa demande et pour toutes les caresses qui m'ont amenée à me faire, me rassembler, je n'ai pas refusé. Il n'y avait que pitié, dérision. Le corps ne sait rien de la reconnaissance. Je me demandais quel théâtre à cet instant pouvait bien, lui, l'habiter.

J'ai rêvé l'autre nuit que j'étais retournée à La Cerna. Sur la plage pourtant plate, la mer butait, répercutait la vague presque déchaînée, défaisait ses broderies qui dansaient, s'effilochaient devant l'horizon perdu dans le ciel sous la chaleur terrible du plein midi. J'avais cuit longtemps au soleil. J'entrai dans l'eau, nageai, nageai, m'en allai jusqu'à l'endroit où la vague se forme, se dresse très haut et casse. Qu'elle me ballotte, me charrie, pulvérise mon poids, que dans son soulèvement sans repos, je sois seulement matière. Corps. Rien qu'un objet, entre eau et ciel, coupé de la terre et de tous. Libre. Enfin libre. Plus de souvenir, plus de nom, rien. Sans os, sans fil, sans fin, dans les paillettes du soleil sautillant sur la musique de la vague. Jusqu'au moment où, demi lasse, je tende fort les muscles pour revenir sur le sable. Ce jour-là, les choses ne se sont pas passées comme ça. Au moment où je crois profiter de quelques secondes d'accalmie pour amorcer le retour vers la terre, une lame particulièrement forte me frappe sur la nuque. Étourdie, j'avale quelques gorgées. La bouche en feu, le souffle aussitôt court, je tente de ménager, de refaire mes forces. La mer impétueuse m'empêche de récupérer. En quelques minutes, mes bras ne s'agitent plus qu'en ficelles pendues aux épaules. Les jambes flasques, je tiens à la surface seulement par les poumons que je garde gonflés de peine et de misère, lâchant un râle continu que ma tête enregistre dans la fureur des vagues qui ne désarment pas. J'arrive tout juste à tendre la joue pour que la lame que je vois venir m'y frappe, évite le derrière de la tête avant de me recouvrir toute. De toi, debout sur la plage, j'aperçois la silhouette rectiligne — en ce moment reconstruite en un Giacometti filiforme — tournée vers moi, me semble-t-il, mais mon regard se brouille et je distingue mal. Je tire un bras hors de l'eau pour t'appeler à l'aide. Tu me fais signe de rejoindre le bord. Presque exténuée, économisant de plus en plus mes forces, je lève encore le bras pour t'appeler. Tu refais le même geste, me demandant de regagner la plage. Ironie. Au moins tu ne m'as pas abandonnée, c'est bien toi, là-bas, qui m'attends. Tu ne bouges pas. Ou bien tu ne vois pas que je suis en danger. Ou bien je suis trop loin et tu juges la partie perdue, tu ne peux venir à moi par tes seuls moyens sur cette plage où il n'y a aucune embarcation. La vague ne lâche pas, je l'entends s'enfler, la sens monter au plus haut, la vois finir en crête dentelée, rouler en grondant pour s'ouvrir en gueule énorme, en crocs qui d'un instant à l'autre ne manqueront pas de me happer. Une bande dessinée me revient à l'esprit. Ainsi s'achèvera ma vie, par imprudence, inconscience, par une confiance exagérée dans mon corps et dans la mer. Aucune colère. L'évidence d'une parfaite absurdité. Je prends congé de toi et du monde, accepte de bonne guerre que tu ne te noies pas pour moi, avec moi. J'évalue le temps que je pourrai tenir: deux, trois minutes, pas plus, et encore. La peur me tenaille, la panique de la souffrance au moment où je commencerai à avaler, où je ne pourrai plus m'arrêter d'avaler, la tête encore claire — c'est du moins ce que je suppose, mais qu'est-ce que j'en sais? — qui fera le compte de mon insondable bêtise dans le vertige de la fin. J'ai le temps de penser que je n'assiste pas au défilé fulgurant de ma vie, comme le répertoire des idées reçues veut bien le faire croire. Aucune pensée pour l'au-delà, ou plutôt la pensée que je n'éprouve pas le moindre doute, que demeure seulement le corps qui refuse, se tend d'effroi. Avec un certain étonnement, je vois — en image fixe — le Docteur F. qui me regarde, impassible, muet. Par un effort qui m'a paru être l'ultime, je réussis à tirer le bras droit hors de l'eau, bout de chiffon qui retombe aussitôt. Le geste a été si mou que là tu comprends que je suis en détresse. Je te vois avancer dans l'eau, venir droit vers moi. À l'instant, je sais que je tiendrai les quelques minutes nécessaires jusqu'à ce que tu me rejoignes.

Sans équivoque, le rêve disait que je te devais la vie, mais que faisait là le Docteur F.?

S'agissait-il bien d'un rêve? Les détails si nets, l'écoulement sans interruption ni court-circuit pourraient faire croire à une rêverie dans le demi-sommeil. Mais l'angoisse au réveil ne trompe pas, elle n'appartient qu'au rêve.

Les moments où il ne dort pas, je voudrais qu'ils soient pleins. Ils émergent, corpuscules en suspension dont on ne sait à quelle seconde ils retourneront à la nébuleuse qui les abolira.

Nos paroles s'espacent, mes yeux plongent dans les siens, je crois pénétrer en lui, au premier moment il se laisse faire, son visage participe à l'accueil, de ses lèvres, du plissement autour des yeux, mais à vouloir aller au-delà, atteindre au plus loin par quelque entaille, je viens si près que je ne distingue plus rien. Mon regard n'erre plus que sur un mur grisaillé parfaitement étanche, comme chaque fois que manque la distance, il dérape. Je pose mes lèvres sur la tempe, là où la peau s'affine, où la veine encore palpite.

À me rendre compte combien son visage revit en présence du Docteur F., je suis dépossédée. Ma tête sait combien le docteur lui est plus précieux que je ne pourrai l'être désormais. Si difficile qu'il soit de m'en faire l'aveu, et de l'écrire — comme si l'inscription en décuplait le poids scandaleux — la jalousie veille.

Depuis plusieurs soirs, aussi depuis des mois, par intervalles, au moment où je vais tomber endormie, où enfin la tristesse cède à l'hébétude, je me vois — moi qui n'ai pas eu d'enfant — toujours dans la même position, un nouveau-né dans les bras, que j'enserre et qui me boit, calmement, amoureusement, sa tête au creux du bras replié, un doigt de ma main droite glissé dans le pli douillet de son cou. Longtemps je me suis demandé qui était cet enfant, pourquoi il était là. J'ai d'abord cru que c'était toi, l'enfant douloureux en mal de sa mère et dont je prenais soin. De je ne sais quelle source, j'ai compris qu'il n'en était rien, que je m'allaitais moi-même, dans l'amour que tu m'as donné, qui, touche après touche, a mis du mortier entre mes pierres, et que je trouve entier, si tendre dans cette scène, rigoureusement la même, simple, anonyme, comme seul un fantasme peut l'être. Une façon de me raconter qu'ici quelque chose est en train de crever.

De mes réflexions de pseudo-intellectuelle fin de siècle, j'aurais tant aimé rire avec toi. L'ironie est amère: tu es bien la dernière personne avec qui je pourrais en rire. Et pourtant, je t'entends te moquer, de mon «ça» et du «on» en bataille, attendri tout de même de ma démarche pataude, de mon besoin de me réassurer.

Toi, presque perdu, je parle pour m'entendre parler, me tenir compagnie, voir la main myope ouvrir une travée, puis une autre, et une autre encore, pour ne pas tourner en cinglée, en gâteuse qui ne connaît plus que le monologue à voix haute.

Ce matin, quand je suis arrivée près de lui plus tôt que d'habitude — un cauchemar m'avait fait me presser — la porte était entrouverte. Il ne m'avait pas entendu entrer. J'ai vu son visage exténué, les muscles disloqués. Quand il a senti ma présence, il a rassemblé ce qui lui restait d'énergie; c'était dérisoire, presque suffisant pour atténuer les marques de terreur sur ses traits. Il m'a fait signe de sortir. Pour m'épargner. Preuve d'amour ou sursaut de fierté? La souffrance, seule réalité. Tout le reste n'est que littérature.

Depuis quelques jours, le Docteur F. s'attarde dans la chambre. Il vient sans sa blouse blanche. L'enveloppe tombée, une glace a fondu. Je l'ai découvert plus mince, plus grand que je ne l'avais cru.
Debout près de la fenêtre, il a longtemps regardé dehors, vers le chantier désert, en face, de l'autre côté des arbres.

LE DOCTEUR F: Avant la piqûre, c'est toujours un peu difficile...

LUI: Oui, je sais.
MOI: Dans quatre minutes. Les infirmières sont toujours très précises.

Mes paroles, tout de suite j'ai su qu'elles sonnaient faux.

Le docteur a fini par se tourner lentement vers le lit. Il a remarqué:
— Vous risquez d'avoir du bruit cette après-midi, il y a un match de football, le stade n'est pas loin. La chambre est en face du poste des infirmières, c'est pour cette raison qu'on vous l'a donnée... pour le bruit, elle est mal située.
MOI: Vous allez au football?
LE DOCTEUR F: Non, plus maintenant. Il m'arrive de le regarder à la télévision.
Le silence.
L'infirmière est venue, a fait la piqûre.
Le docteur le regardait, s'est approché de lui, lui a touché le bras, a dit: — À demain.
Lui, il a remué les lèvres, sans plus.
Quand le docteur s'est dirigé vers la porte, je l'ai suivi dans le couloir:
MOI: L'évolution?
LE DOCTEUR F: Il y a un palier en ce moment. (Un peu plus doucement, m'a-t-il semblé): Il faudrait penser à vous. Toutes ces journées ici, c'est beaucoup. Vous êtes là tous les jours.
MOI: Les enfants passent. Son père aussi, il voudrait faire plus. Il est maladroit, honteux d'être en santé... Alors, pour rester...

Il a dit au revoir, n'a rien ajouté.

Je voudrais me tenir au plus près, même si je sais que ceux qui se sont essayé à pareilles transmissions ont toujours menti. M'y voici dans cette transcription, autant par ce que je perds que par ce qu'il risque d'en naître.

À ta façon de t'en aller dans le silence, alors qu'autour de toi, il y avait des êtres, un métier, des projets, pendant des années, des villes, des routes, des murs, des aéroports, des gares, leurs images à n'en plus finir qui t'absorbaient, leur symétrie, leurs angles, leurs contrastes... à t'avoir tant vu traquer ces parcelles du monde, j'aurais dû chercher à savoir, mesurer l'intensité des vides, la part de l'ombre, des lignes de fuite, des césures, mais non, je ne distinguais rien au-delà de ce qu'apportait le quotidien... des fois, il me paraissait chiche.
Ce qui m'a semblé contradiction, paradoxe, appartient peut-être à un assentiment, une docilité que je ne soupçonnais pas.
Ton mal a mis à découvert une zone embroussaillée où ni l'un ni l'autre ne nous étions aventurés — ignorance, prudence, peur des éclaboussures — il nous a renvoyés l'un vers l'autre, dans une douleur qu'on a cru partager. Chacun de nos cris s'est figé dans les glaces.

Rue du Manège, hier soir après l'avoir quitté, sous une pluie serrée, j'ai attendu un taxi, sans doute assez longtemps, si dédoublée que c'est seulement en prenant place

dans la voiture que je me suis rendu compte que je n'avais pas ouvert mon parapluie, que je l'avais protégé, tenu bien serré contre moi, sous ma veste, alors que je dégoulinais de partout.
Consigner, dans tous les sens.

J'essaie de ne pas voir l'été. Pour affaiblir le contraste avec la lumière tamisée qu'on maintient, insuffisante pour lire près de lui. D'ailleurs, est-ce que vraiment, je lirais? Je ferais semblant, pour croire qu'à tout arrachement un déplacement est possible. Dans ces heures au ralenti que je passe là, il m'arrive de tomber dans une lourdeur hantée. Comme si les drogues qu'il prend essaimaient jusqu'à moi. Au point de me faire lâcher prise, de ne plus savoir où mes nerfs s'agrippent: dans le plancher — j'en connais toutes les rigoles de peinture écaillée —, dans le relent de laine fétide qui flotte dans la chambre, autour du recoin au fond du ventre où la vie se cachait?

Je m'accroche à un rien, une amaryllis violette, ouverte en bouche humide prête à m'avaler, un nuage cotonneux coupé par les lattes du store, un pli du drap, le tissu marqué par une crispation de ses doigts devenus secs, si près de la surface raidie par l'amidon que je me laisse prendre dans le renflement de la toile, les gris des creux, j'y demeure, la main sur le glacis du drap jusqu'à ce que tu t'éveilles, qu'en bougeant, tu défasses le modelé où je m'étais perdue.

Une fin d'après-midi, je suis entré dans la chambre. La tête un peu penchée, contre le dos du fauteuil, les cheveux à moitié défaits, elle somnolait. La main ouverte sur le dessus de lit, près d'un livre fermé. Mes yeux habitués à la demi-obscurité, j'ai vu que lui, il était éveillé.

Sur sa robe couraient des bandes de lumière. À la façon dont ses genoux s'étaient écartés, aux aisselles bordées d'un large cerne, elle avait cherché l'air. Aux hanches, sur les cuisses, la soie avait collé.

Son regard m'a invité à ne pas bouger, ne pas la réveiller. J'étais déplacé. J'ai lu le titre du livre: Belle du seigneur. *Je ne connaissais pas. Ce titre, dans cet endroit même.*

À défaut d'autres mots, ce que j'appelle sa force morale — pour rendre la distance qu'il maintient avec la part qui meurt — m'impressionne, me rapetisse.

Hier soir, en sortant de la clinique, j'ai buté sur le Docteur F. Il m'a demandé si j'étais en voiture.
— Non, je marche jusqu'au carrefour, là je prends l'autobus ou un taxi.
— Où habitez-vous?
— Rue de la Convention, 123.
— Je vois, je ne ferai pas un grand détour. Je vais vous laisser chez vous.
J'ai accepté. Un moment après, il a repris, me jetant un coup d'œil:
— Rue de la Convention?
Un peu étonnée:
— Vous connaissez?
— Oui, bien sûr. C'est vous, la Convention...
Il avait un air presque amusé. Je me suis demandé ce que le «vous» recouvrait, s'il me désignait, moi seule.

Dans les heures qui tournent dans la chambre où son visage s'amincit, dans l'effet de ce qu'il est advenu de son corps, ce que j'en reconnais, les veines du bras si minces dont je suis le filet de mon doigt, dans ce temps qu'on dirait immobile, le moindre événement résonne. Pour une mouche égarée, un peu d'oppression a tendance à lever.

Ce matin, le Docteur F. s'est attardé un moment. Je l'ai regardé prendre les radios posées sur le lit. Il a fait le geste en tournant sur ses talons, dans un mouvement glissé, de danseur. J'en ai été surprise, aussi de le remarquer. Il les a tenues à la hauteur des yeux vers la fenêtre: cartographie d'hiver vaguement bleutée, modulations d'un paysage lyrique en somme.

Les paupières le plus souvent baissées, il s'enfonce, sans sursaut. Le mal le prend, l'aspire. Le sable boit la vague, la tache disparaît, le sable à nouveau égal à lui-même. J'ai peur. De plus en plus. Chaque jour davantage.
Nous aussi, nous aurons dansé, poussières dans un rai de soleil. Ce qu'il en restera, des photos, des tas de photos, pêle-mêle. Je n'ai pas su le lire. Ce que je devine maintenant, c'est de la maladie que je le tiens. Je n'avais retenu que l'élégance à donner, l'ardeur à découvrir. La tranchée a été longue à s'ouvrir. Si près et si loin, quelle déconvenue.

Cette après-midi, en présence du Docteur F., il a dit: le courant baisse.
J'ai pris sa main pour qu'il sache que l'allusion était saisie: nous nous étions si souvent vus comme des aires traversées de courants où se produisaient des interférences, des forces alternatives, un jour chargées d'attirances irrésistibles, foudroyantes pour l'échappée au fond des salles, dans les fourrés de Palenque, d'une mousson d'Océanie... constamment menacées de chutes, de butées sourdes, de coupures. Un signe, une impulsion, ce qu'il y fallait d'abandon, pour que ça parte, ça s'enroule, sur des rétines, des pellicules, des pages. Ça s'écrivait: des hommes, des femmes, en grave ou en aigu, en parcelles piaffantes, le long des boulevards, des égoûts, en chiens cauteleux, en cloportes, pour un éclair, une seconde vie... À la façon dont ses doigts ont répondu aux miens, j'ai su que lui aussi se souvenait. En présence d'un tiers, la complicité prenait un autre goût.

Il y avait ton rire. Souvent. Ce rire que je n'entendrai plus, pour lequel je crois t'avoir aimé. Ce rire, je ne l'ai connu que de toi. Si vif, si soudain. Il faisait croire que tout enfin serait facile. Mais non, le rire s'arrêtait net, tellement tu en avais été toi-même le premier surpris.

Je n'esquive pas, je colle au lit, à la peau de plus en plus lâche, au blanc des yeux inertes derrière les paupières entrebâillées.

1er septembre, près de minuit

À l'entrée de la clinique, une infirmière m'a arrêtée:
— Le Docteur F. veut vous voir. Il vous attend.
Si tôt, même pas neuf heures.
Je suis passée devant les chaises alignées le long du mur dans le couloir vide, une rouge, une jaune, une rouge, une jaune, une rouge...
Le docteur s'est levé. Il est venu vers moi. Dans ses yeux, une immense lassitude. Toute la tristesse du monde y paraît concentrée. Il est tout près. Il met sa main sur mon poignet, le tient serré, se penche vers moi:
— Voilà, c'était entendu. Que je ne vous préviendrai pas. Que vous sauriez après, seulement après. Il l'a voulu ainsi.
Se raidir, tenir, rester droite. Asséchée.
C'est à cela que j'ai pensé tout de suite, que je me suis accrochée.

Il m'a parlé. Lentement. Les mots, je ne les sais plus. Question de terreur, de dégoût aussi. Cela oui, je crois me le rappeler.
Il m'a amenée près de la fenêtre ouverte. Il m'a dit de respirer fort, très fort, à plusieurs reprises. Il m'a dit d'attendre un moment avant de monter. Il a ajouté qu'une amie était là qui m'attendait. Qu'à cela aussi, on y avait pensé.

Après je ne sais plus. Un grand silence, je crois.

Il m'a accompagnée jusqu'au bas de l'escalier. À nouveau il m'a pris le bras, d'une pression ferme, soutenue.

3 septembre

Il y a eu les moments où je me suis crue à la limite, où j'ai pensé que je n'y survivrais pas. Ça n'en finirait pas. Ça allait gripper. Une bonne fois. Je l'attendais. L'espérais. Tout sur moi bien trop lourd.

L'égarement qui a suivi. Une folie pareille. Comment l'imaginer?

J'en garderai les restes. Huit jours ne s'étaient pas passés.

Pour ces heures, ces jours, je devrais avoir de la répulsion, de la stupeur. Je me dis bien: — traînée, saleté, roulure... À quoi bon. Alors, ce n'est pas moi qui parle.

La foudre qui nous a traversés, d'où est-elle tombée? Vous, le savez-vous?

Ce soir-là, après la chaleur persistante des derniers jours, cette longue fatigue, j'étais presque adoucie, tremblante à peine quand je vous ai suivi. La terrasse en surplomb, la rivière endormie entre les berges rebondies, noircies par l'ombre, le restaurant où nous sommes arrivés dans les derniers, c'était tranquille, accueillant. Les uns après les autres, les clients se sont levés. Non loin de nous, je revois un couple, lui aussi s'est attardé.
Toute la soirée, des mouches, des papillons ont virevolté autour de la lampe que vous aviez repoussée au bout de la table. Je voyais mal votre visage, mais vos mains restaient dans la lumière. Vos mains qui. Vos mains que. Vos mains précises. Longues, bronzées. Vous m'en avez donné la raison: vous jouez au tennis trois fois par semaine. Les bestioles tournicotaient autour de la petite lampe, s'y frappaient, grésillaient, se tordaient, ventre en l'air et pattes folles avant de se raidir sur le blanc de la nappe. D'autres venaient, se brûlaient, battaient de l'aile. Le bal reprenait.

Non, je ne saurai rien. Sur de pareils gestes, il n'y avait pas de mots, vous avez dit, qui se puissent coucher. Vous m'avez affirmé être dans l'incapacité de décrire ce qui a eu lieu, ce genre de rapport, les changements minimes qu'on croit définitifs, d'un jour à l'autre, les rémissions, les revirements presque. Non, il n'y avait pas de mots. Vous, en tout cas, vous ne les aviez pas.

Il ne fallait y voir aucune mauvaise volonté. Vous avez ajouté:
— Il faut me croire.

J'ai été dévorée. De soif. Du besoin de savoir, de me faufiler entre. Comment cela s'était passé. Comment vous vous en étiez parlé. À quel moment. En quels mots. Moi, vous m'aviez écartée. Cette entente, elle vous avait liés d'une attache autrement forte que tout ce que j'avais connu. Non, aucun acte d'amour ne peut se comparer à pareille demande, à une telle acceptation. À cet accord à l'autre. J'en voulais ma part, mon dû.
Non, je n'avais pas bu. Pas beaucoup. Le champagne n'y était pas pour grand-chose. Il y avait si longtemps que je n'avais goûté à une durée qui ne menaçait pas. Votre visage était lisse; à y regarder de près, des rides tout de même, au front, près de la bouche.

J'ai été emportée. Déchaînée. D'une exaltation de mystique égarée. Je me suis amusée des couples qui minaudaient sur le papier peint de la chambre. Il y en avait sur tous les murs, partout, jusqu'au plafond, des couples de marquises et de marquis, en rose fané sur fond beige, qui dansaient en se faisant des grâces.

Nous ne nous sommes pas dit trois paroles poignantes. Dans vos yeux, dans vos bras, sous votre bouche, votre ventre, une volonté implacable en moi, de saccager, de brûler. À cette chambre à l'ancienne, avec miroirs ovales et capiton de velours prune pour couples éduqués, je ne reviens pas sans un désir terrible de vous appeler, ni sans rougir. Plus humiliée encore dans les moments où, depuis, chacun m'entretient de mon deuil. Moi, la benoîte, j'écoute. Et j'y retourne sans cesse, à la démente que j'ai été. J'aurais voulu m'enlever la peau, m'inverser, que rien ne me résiste. Y rester. Entre vos jambes, entre vos mains, plaquée. Murée. Mon corps pas assez grand pour contenir le vôtre.

En vous quittant au petit jour, je crois vous avoir dit qu'il y allait de l'horreur.
Avec l'attention patiente qui nous avait retenus la première fois que nous vous avons vu, vous m'avez reprise:
— Non. Ou alors, si c'est possible: un chant d'horreur.
Vous m'avez assuré de ce que, vous et moi, nous étions au même point. Vous avez ajouté:
— Je ne suis pas le moins saisi des deux. Quelque part, j'en suis, moi aussi, accablé.

13 octobre

Au moment de partir pour plusieurs mois, loin, très loin, entre vous et moi, il ne faut rien de moins que l'Atlantique — je vous envoie ce cahier. De cet écho, de ce qui aurait eu lieu, ne soyez pas gêné. Ce n'est pas l'unique exemplaire. J'en garde une copie. Tant nous ne faisons plus rien qui n'appelle aussitôt à la répétition.

Je vous le laisse, à vous qui êtes du côté de la science et de la loi, et aussi de l'intime, à cette place forte, ambiguë et au moins double qu'on veut vous reconnaître. Vous l'avez occupée au-delà de ce qui en est généralement attendu.

Il me semble que dans cette histoire, à coup sûr réinventée, d'autres pourraient, pourront se retrouver. Cette part du diable qui a jailli de moi, m'a jetée vers vous, flottante, décidée, ne pensez-vous pas qu'elle est en chacune, en chacun, latente, toujours là? Nous n'étions ni innocents ni bien jeunes. À croire que ce ne sont pas tellement les personnes qui comptent, plutôt les positions qui nous sont données.

Je n'ai pas essayé de bien raconter. De totale fidélité aux situations, aux émotions, il n'y en a certainement pas eu. Je n'aurai été que le double affirmé, explosif de beaucoup d'autres. À avoir tant voulu que l'amour, par vous, ait l'imparable, l'irréparable de la mort, convenez que c'était là le biais, le moyen d'en approcher le mieux, d'en toucher la douleur.

Aucune femme ne m'aura été, ne me restera une telle tentation. Je n'ai pas su l'étreindre. Qu'attendait-elle? Était-ce à ma mesure? Existe-t-il celui qui aurait pu répondre à sa demande? Elle ne m'a pas donné le temps de l'apprendre. Ni de l'aimer. Elle n'a même pas su qu'entre lui et moi, elle avait toujours été là. Que sans elle, tout aurait été autre. Que les choses se seraient défaites au jour le jour, dans l'habituelle gangrène. Que c'est elle qui, tout au long, nous a plus que guidés — tenus.

À cette saveur âpre qu'elle m'a laissée, pour rien au monde je ne voudrais ne pas avoir goûté. Aucun être n'a ouvert en moi un tel vide, un besoin aussi incontournable de revenir vers ce qui a été, ce nœud mal compris, qui ne se défait pas.

15me. ARRt.
RUE
DE LA
CONVENTION

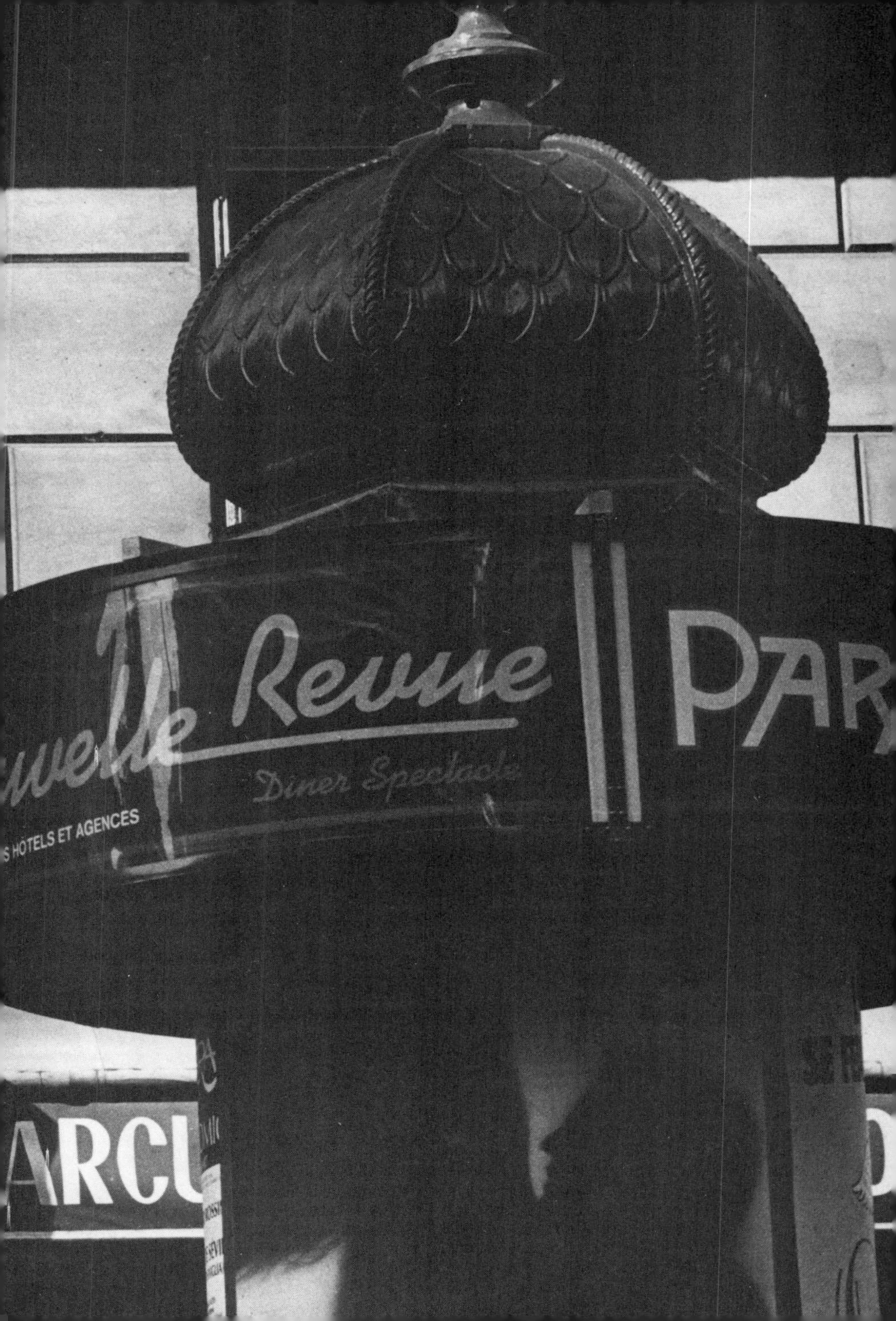

Revue
Diner Spectacle
HÔTELS ET AGENCES

CET OUVRAGE
COMPOSÉ EN GARAMOND CORPS 12 SUR 14
A ÉTÉ ACHEVÉ D'IMPRIMER
LE ONZE OCTOBRE MIL NEUF CENT QUATRE-VINGT-CINQ
PAR LES TRAVAILLEUSES ET TRAVAILLEURS DES PRESSES
DE L'IMPRIMERIE GAGNÉ
À LOUISEVILLE
POUR LE COMPTE DE
VLB ÉDITEUR.

IMPRIMÉ AU QUÉBEC (CANADA)